史晨碑

彩色放大本中國著名碑帖

孫寶文 編

建寧二年三月癸卯朔七日己酉魯相臣晨長史臣謙頓首死

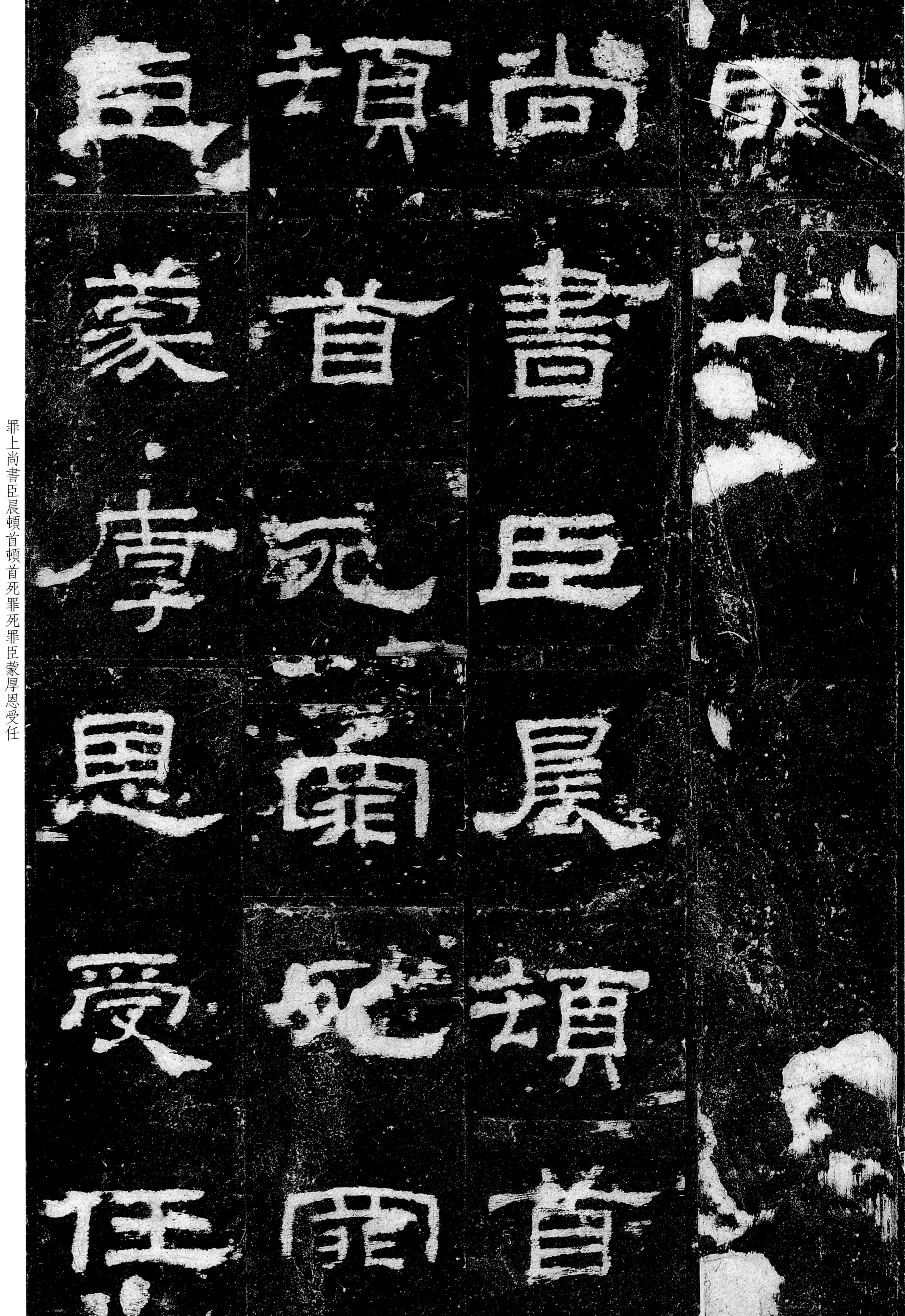

罪上尚書臣晨頓首頓首死罪死罪臣蒙厚恩受任

符守得在奎婁周孔舊寓不能闡弘德政恢崇壹變夙夜憂怖

累息屏營臣晨頓首頓首死罪死罪臣以建寧元年到官行秋

饗飲酒畔宮畢復禮孔子宅拜謁神坐仰瞻榱桷俯視几筵靈

所馮依肅肅猶
存而無公出酒
脯之祠臣即自
以奉錢脩上案

所馮依肅肅猶存而無公出酒脯之祠臣即自以奉錢脩上案

食醱具以叙小節不敢空謁臣伏念孔子乾巛所挺西狩獲麟

爲漢制作故孝經援神挈曰玄丘制命帝卯行又尚書考靈燿

曰丘生倉際觸期稽度爲赤制故作春秋以明文命綴紀撰書

脩定禮義臣以爲素王稽古德亞皇代雖有褒成世享之封四

脩定禮義臣以爲素王稽古德亞皇代雖有褒成世享之封四

時來祭畢即歸國臣伏見臨璧雍日祠孔子以大牢長吏備爵

所以尊先師重教化也夫封土爲社立稷而祀皆爲百姓興利

除害以祈豐穰月令祀百辟卿土有益於民矧乃孔子玄德焕

炳光于上下而本國舊居復禮之日闕而不祀誠朝

廷聖恩所宜特加臣寢息耿耿情所思惟臣輒依社稷出王家

穀春秋行禮以共煙祀餘□賜先生執事臣晨頓首頓首死罪

死罪臣盡力思惟庶政報稱爲效增異輒上臣晨誠惶誠□頓

首頓首死罪死罪上尚書時副言大傅大尉司徒司空大

司農府治所部從事昔在仲尼汁光之精大帝所挺顏母毓靈

司農府治所部從事昔在仲尼汁光之精大帝所挺顏母毓靈

承敝遭衰黑不代倉□流應聘嘆鳳不臻自衛反魯養徒三千

獲麟趣作端門見徵血書著紀黄玉韻應主爲漢制道審可行

獲麟趣作端門見徵血書著紀黄玉韻應主爲漢制道審可行

乃作春□復演孝經刪定六藝象與天談鉤河擿雒却揆未然

魏魏蕩蕩與乾比崇